MÍNIMA MALA

se

BAÑA

Nick Bruel

SCHOLASTIC INC.

Originally published in English as *Bad Kitty Gets a Bath*

Translated by Juan Pablo Lombana.

No part of this publication may be reproduced, stored in a retrieval system, or transmitted in any form or by any means, electronic, mechanical, photocopying, recording, or otherwise, without written permission of the publisher. For information regarding permission, write to Roaring Brook Press, a division of Holtzbrinck Publishing Holdings Limited Partnership, 175 Fifth Avenue, New York, NY 10010.

ISBN 978-0-545-49906-4

12 11 10   20 21/0

Printed in the U.S.A.   40
First Scholastic Spanish printing, January 2013

Book design by Jennifer Browne

A Jules, Jenny, Kate, Halley, Julie
y a todos los otros Fabulosos Feiffers.

• ÍNDICE •

A medida que leas este libro encontrarás un asterisco (*) después de algunas palabras.

El significado de esas palabras aparece en el Glosario* que está al final del libro.

• INTRODUCCIÓN •

Así se limpia Minina.

SE LAME.

Se lame las patas.

Se lame la cola.

Se lame el lomo.

Y para limpiarse la cara, se lame una pata y la restriega por donde su lengua no llega.

9

LAME LAME LA
AME LAME LA
LAME LAME LA
AME LAME LA
LAME LAME LA
AME LAME LA
LAME LAME LA
AME LAME LA

A veces, Minina hace esto durante horas.

DATOS DIVERTIDOS
DEL TÍO MURRAY

¿POR QUÉ SE LAMEN LOS GATOS?

Esta es una foto de la lengua de Minina. Está cubierta de cientos de pequeñas púas afiladas en forma de anzuelo que se llaman "papilas"*. Estas púas la ayudan a peinarse cuando se lame. Su lengua también le sirve para impedir que se trague cualquier pelo suelto.

Las papilas contienen una proteína fibrosa llamada queratina. ¿Sabes qué más contiene queratina? *¡Tus uñas!*

¡SANTO SALAMI! ¡ESA GATA TONTA TIENE CIENTOS DE UÑAS DIMINUTAS EN SU LENGUA!

13

Minina tiene que tener cuidado. Si se lame demasiado, puede formar una BOLA DE PELO.

Las bolas de pelo se forman en el estómago de Minina cuando traga mucho pelo.

A veces, la única manera de deshacerse de una bola de pelo es tosiendo para que salga.

GNNNNN...

Escupir una
bola de pelo
no es tan
fácil.

Las bolas
pueden ser
testarudas.

GUAG

Y a veces
pueden ser
muy grandes.

15

¡CUIDADO!

¡NUNCA te limpies como
lo hace Minina!

NOTICIOSO

UN CHICO ES ENVIADO A CASA POR TENER MAL ALIENTO EN TODO EL CUERPO

EVACUADA LA ESCUELA

"Bueno, vi que mi gata se limpiaba con la lengua", dijo el chico, "y pensé que yo podría hacer lo mismo".

"Olvidé que comí una pizza de ajo y huevo", dijo el chico, a quien se puede ver en la foto caminando hacia su casa, con la cabeza oculta para no ser reconocido.

Se cree que la escuela volverá a abrir en una semana, tan pronto los funcionarios de sanidad hayan podido eliminar el mal olor y anuncien que se puede volver a respirar en la escuela.

"Intentamos remojar al chico en una solución hecha de pasta dental y enjuague bucal", dijo la directora Sarah Bellum, "pero no sirvió de mucho. Esperamos que este incidente por lo menos sirva de escarmiento a

Así *SUELE* limpiarse Minina.

A veces...

de vez en cuando...

Minina necesita...

un verdadero...

• CAPÍTULO UNO •

PREPARAR
EL BAÑO DE
MININA

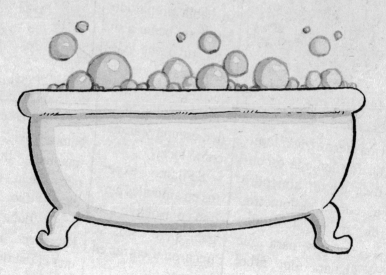

¿Recuerdas la última vez que intentaste bañar a Minina?

NOTICIOSO

UNA FAMILIA HUYE ATERRORIZADA

Una aterrorizada familia fue hallada escondida en un almendro a cuatro kilómetros de su hogar. Todos los ruegos para que se bajara del árbol fueron respondidos con gritos de "¡Uff!", "¡Qué horror!" y "Peor que cuando se nos acabó

La horripilante historia comenzó cuando la familia, que no se había preparado bien para bañar a su gata, tuvo que evacuar la casa luego de que la gatita comenzara a maullar, morder, escupir y arañar como loca.

Se llamó a expertos en animales para que controlaran a la gata, pero estos se negaron a entrar en la casa.

Un policía dijo: "Vemos este tipo de incidente cada

"¡Ay, qué escándalo! Nunca olvidaré los maullidos horribles que salían de esa casa", dijo la vecina, doña Edna Kroninger. "Fue peor que el día que se les acabó la comida para la gatita. Faltó poco para que me mudara de barrio".

PREPÁRATE.

La primera lección que deben aprender todos los dueños de gatos es que...

LOS GATOS ODIAN BAÑARSE

Si quieres mantenerte a salvo, por favor repite esto cuatro mil ochocientas noventa y tres veces.

No es que los gatos detesten bañarse. No es que los gatos tengan una relación difícil con el baño. No es que los gatos hayan resuelto votar en contra de bañarse en las últimas elecciones. No es que los gatos prefieran la vainilla a bañarse. No es que los gatos olviden enviarles tarjetas de cumpleaños a los baños. No es que los gatos elijan de últimos a los baños cuando forman un equipo para jugar a la pelota. No es que los gatos sientan por bañarse lo mismo que un árbol siente por los perros. No es que los gatos observen a los baños de la misma manera que un vegetariano observa una libra de hígado crudo. No es que alguna vez los gatos les hayan comprado a los baños un regalo fabuloso que costó el sueldo de un mes y que luego los baños ni siquiera hayan tenido la decencia de dar las gracias.

Es solo que...

¡LOS GATOS ODIAN BAÑARSE!

Míralo de esta manera...

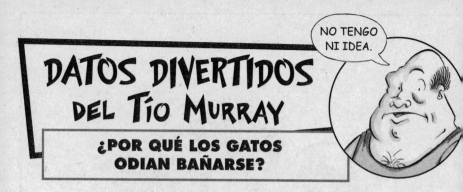

DATOS DIVERTIDOS
DEL TÍO MURRAY

¿POR QUÉ LOS GATOS ODIAN BAÑARSE?

> NO TENGO NI IDEA.

A pesar de lo que dice todo el mundo, los gatos no odian el agua. Los peces viven en el agua y a los gatos LES ENCANTAN los peces. Así que a la mayoría de los gatos no les importa mojarse un poco.

Pero los gatos sí ODIAN bañarse. Eso se debe a que a los gatos les gusta mojarse solamente cuando ellos quieren. Si alguien más quiere mojarlos, se ENFURECEN.

Y si un gato *tiene* que mojarse, más vale que el agua esté tibia.

El pelo de los gatos los mantiene calentitos, pero no sirve a la hora de mantenerlos secos. Así que a un gato que se moja cuando hace frío le cuesta mucho volver a calentarse. Y puede pescar un buen resfriado.

De manera que a los gatos siempre hay que bañarlos con agua tibia (NO CALIENTE).

A MÍ ME GUSTA DUCHARME POR LA MAÑANA Y CANTAR CANCIONES VIEJAS COMO "FINA ESTAMPA, CABALLERO..."

Los gatos también odian las duchas. Y casi nunca cantan canciones viejas.

Ahora que entiendes que los gatos odian bañarse (te haremos una prueba), te será más fácil preparar el baño de Minina antes de mojarla.

A continuación, algunas de las cosas que necesitarás:

UNA BAÑERA

MUCHA AGUA TIBIA

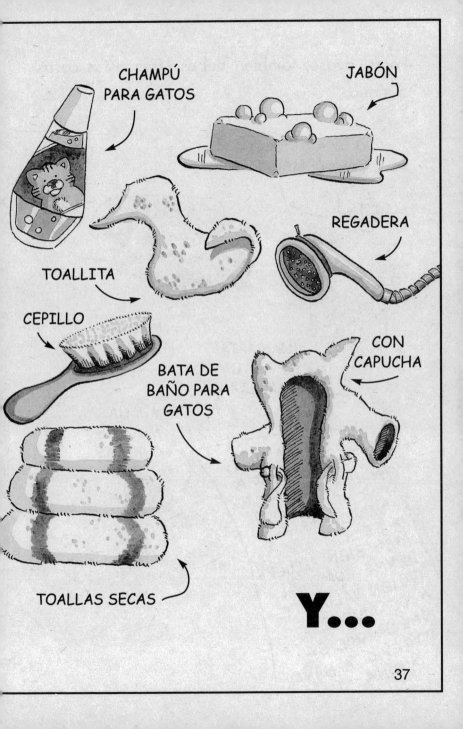

CHAMPÚ PARA GATOS

JABÓN

REGADERA

TOALLITA

CEPILLO

CON CAPUCHA

BATA DE BAÑO PARA GATOS

TOALLAS SECAS

Y...

Por si acaso, también debes tener estas cosas a mano.

ARMADURA

TU DOCTOR EN DISCADO DIRECTO

MUCHO PLASMA*

UNA CARTA PARA TU FAMILIA

MUCHAS, MUCHAS CURITAS

QUERIDA FAMILIA: VOY A BAÑAR A MININA. NO LLOREN POR MÍ. HE VIVIDO UNA VIDA LARGA Y FELIZ. MÁS BIEN, RECUÉRDENME COMO ALGUIEN VALIENTE Y DE MUCHO VALOR QUE SE ATREVIÓ A BAÑAR A MININA.

ROPA INTERIOR LIMPIA
(PORQUE LAS SITUACIONES
ESTRESANTES PUEDEN
CAUSAR "ACCIDENTES")

BOLETOS DE
AVIÓN Y UN
MAPA DEL PUEBLO
DE TU TÍA PARA
ESCONDERTE
ALLÁ CUANDO
ESTO TERMINE

UN RASCADOR
QUE SE PAREZCA
A TI PARA
ENGAÑAR A
MININA
(SEGURAMENTE
NO SERVIRÁ
DE NADA)

UNA AMBULANCIA
ENFRENTE DE LA CASA CON
EL MOTOR ENCENDIDO

Y, por supuesto, lo último que necesitas antes de bañar a Minina es a la propia Minina.

Pero no lo digas en voz alta.

PRUEBA

COMPLETA LA FRASE:

LOS GATOS ＿＿＿＿＿＿

A) AMAN BAÑARSE.

B) ADORAN BAÑARSE.

C) ODIAN BAÑARSE.

D) SON AVES DOMÉSTICAS PEQUEÑAS QUE NO VUELAN, SE RECONOCEN FÁCILMENTE POR SU CRESTA Y SUS BARBILLAS* Y PUEDEN PONER HASTA 250 HUEVOS EN UN AÑO.

RESPUESTA: La respuesta correcta es C. Si escogiste otra respuesta, por favor vuelve a leer el capítulo uno 753 veces o hasta que digas "Los gatos odian bañarse" mientras duermes. Si respondiste D, ve donde un oculista porque ese animal que tienes en tu casa y que crees que es un gato es en realidad una gallina.

• CAPÍTULO DOS •

BUSCAR
A MININA

Esta es la parte difícil.

El baño está listo, pero Minina no. Es más, Minina no está por ninguna parte.

¿Está en su caja de arena?

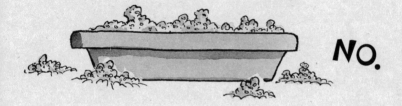

NO.

¿Está debajo del sofá*?

NO.

¿Está sentada
junto a su
ventana
favorita?

NO.

¿Está sentada
en su silla
favorita?

NO.

¿Está acostada
en tu cama?

NO.

¿Dónde está
Minina?

Minina sabe cómo esconderse. Así que intenta recordar dónde la has encontrado en otras ocasiones.

Aquí fue donde se escondió cuando tenías que llevarla al veterinario*.

Aquí fue donde se escondió cuando tenías que cepillarle los dientes.

Aquí fue donde se escondió cuando tenías que darle su medicina.

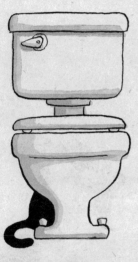

Aquí fue donde se escondió cuando tenías que cortarle las uñas.

Aquí fue donde se escondió cuando le dijiste que se comiera las verduras*.

¡Ahí está Roco!

Tal vez Roco sabe dónde se escondió Minina.

Oye, Roco, ¿sabes dónde se escondió Minina?

EEHHH...¿GUAU?

No... parece que no sabe.

Un momento... ¿Desde cuándo tiene Roco el pelo negro? Roco nunca ha tenido el pelo negro. Ese no puede ser Roco. ¿Quién es entonces? Humm...

¡ES MININA DISFRAZADA!

¡ATRÁPALA!

¡SE FUE A LA SALA!

¡ATRÁPALA!

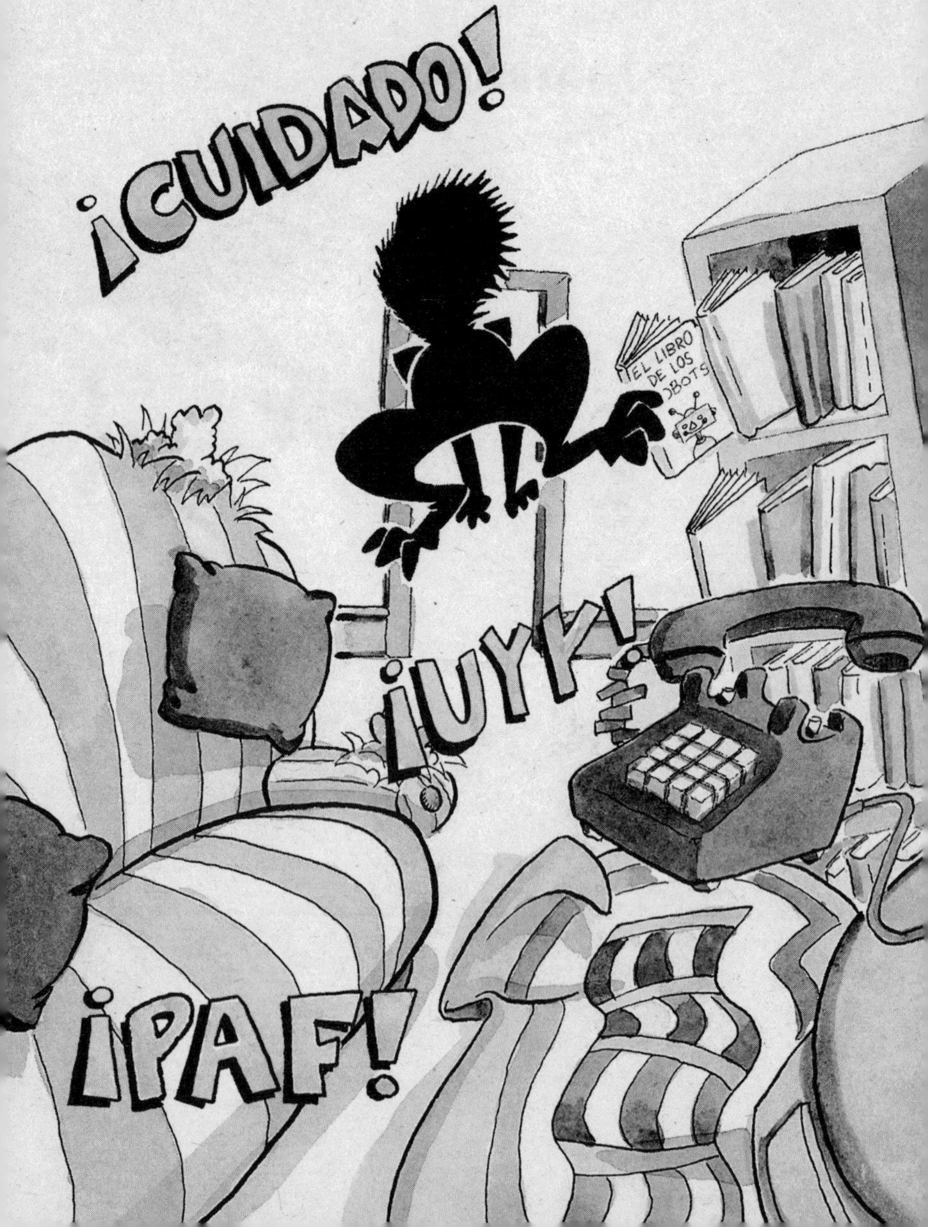

¡ESTÁ SUBIENDO LAS ESCALERAS!
¡ATRÁPALA!

¡ESTÁ EN EL PASILLO!

¡ATRÁPALA!

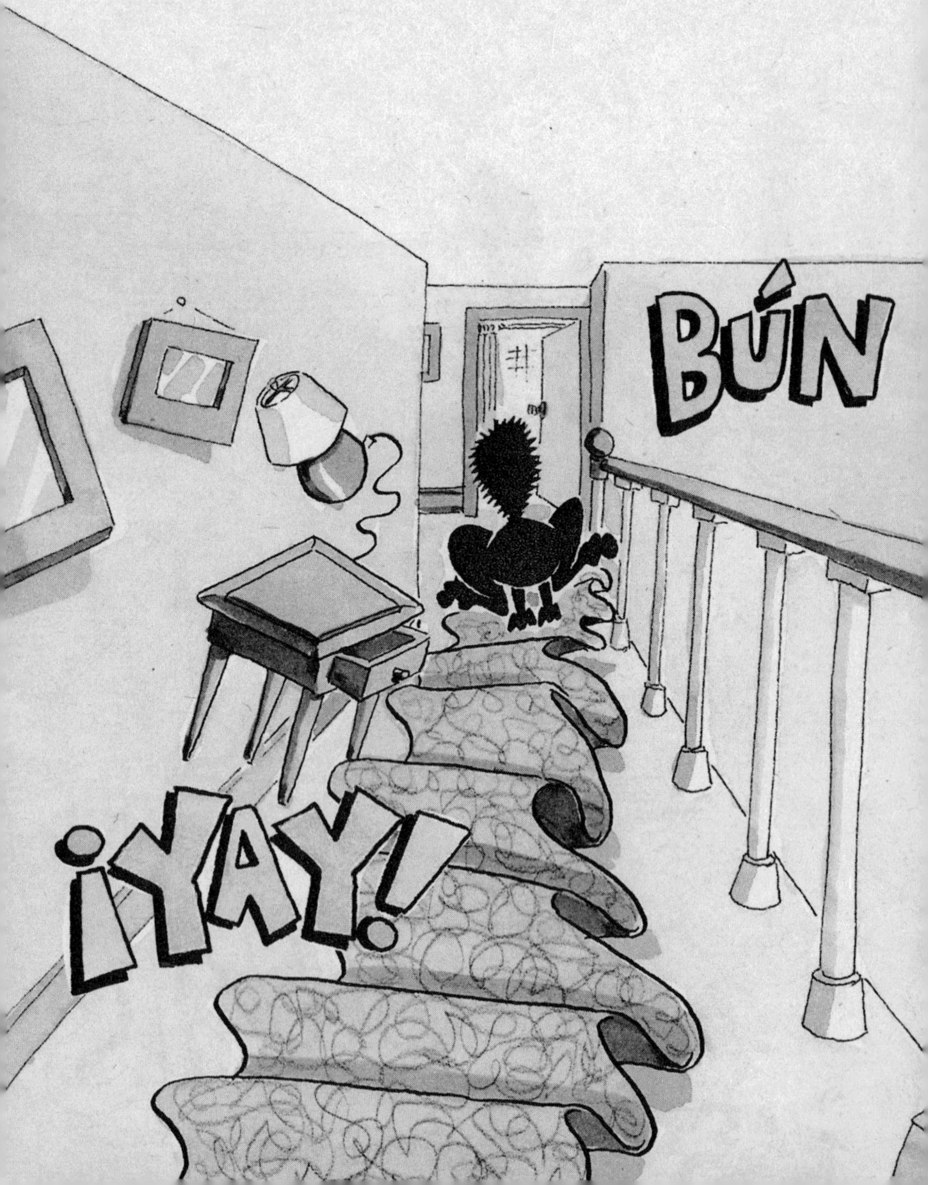

¡ESTÁ EN EL BAÑO! Está atrapada. Ahora lo único que tenemos que hacer es cerrar la puerta con calma y comenzar con el baño.

• CAPÍTULO TRES •

CÓMO
BAÑAR A
MININA

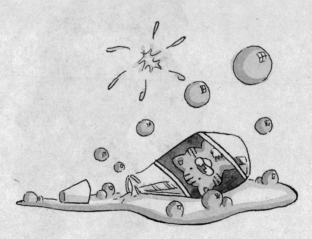

Ahora que ya lograste atrapar a Minina y que el baño está listo, por favor sigue estas instrucciones al pie de la letra para que tú y ella estén a gusto durante el baño.

1) Toma a Minina en tus brazos con cuidado, pero con confianza.

2) Acaríciala con cariño para que sepa que no le va a pasar nada.

3) Dile que la quieres. Sin duda, Minina te dirá que ella también te quiere.

¡YO TAMBIÉN TE QUIERO!

4) Ahora, lentamente mete a Minina en el agua tibia.

¡OYE! ¡ESTO NO ESTÁ TAN MAL!

¡ME HE PORTADO MUY MAL! Y PARA REPARAR MI MAL COMPORTAMIENTO, TE RECOMPENSARÉ...

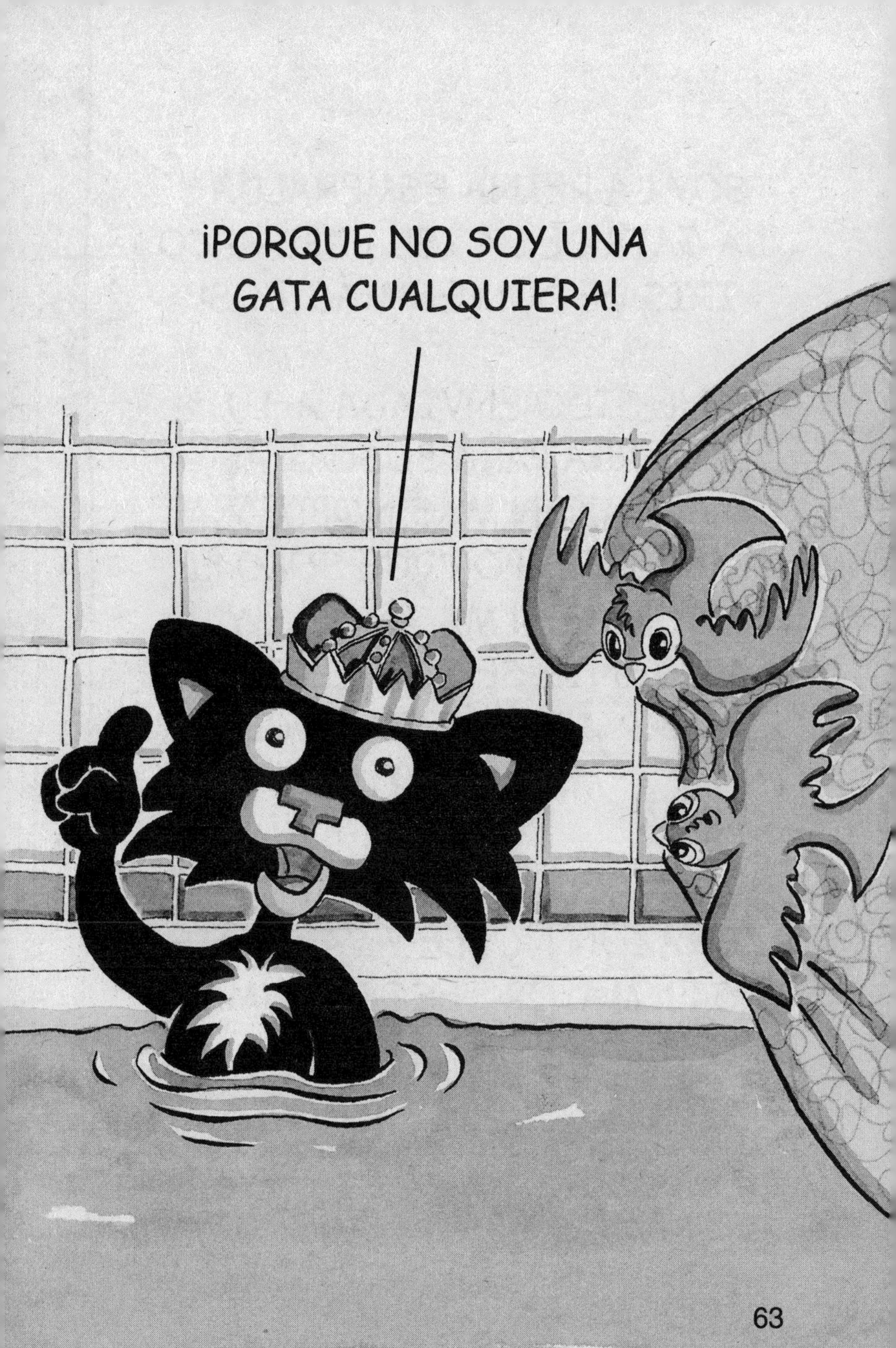
¡PORQUE NO SOY UNA GATA CUALQUIERA!

SOY LA REINA ESMERALDA*, ¡LA GATA DE LA ISLA DEL ARCO IRIS DE DULCES MÁGICOS!

HE SIDO ENVIADA A TU TIERRA PARA BUSCAR AL CORAZÓN MÁS NOBLE Y VALIENTE, ¡PORQUE SOLO EL CORAZÓN MÁS NOBLE Y VALIENTE SE ATREVERÍA A BAÑAR A UNA GATA SUCIA Y MALOLIENTE!

Y LA RECOMPENSA POR TU CORAZÓN NOBLE Y VALIENTE ES EL MAYOR TESORO JAMÁS OFRECIDO:

¡ESTE UNICORNIO— VOLADOR DORADO ERIGIDO SOBRE UNA OLLA MÁGICA LLENA DE DIAMANTES CUBIERTOS DE CHOCOLATE!

Lamentamos informarte que el capítulo tres fue un sueño.

• CAPÍTULO CUATRO •

METER A
MININA EN
EL AGUA

Deberías saber que no iba a ser tan fácil.

Ahora que has despertado, seguramente recuerdas lo que pasó cuando...

La llevaste al veterinario.

Le cepillaste los dientes.

La hiciste tomarse
su medicina.

Le cortaste las uñas.

La obligaste a que
se comiera las
verduras.

Nick:

Lo siento, pero esta ilustración es
demasiado fea y violenta, y no
podemos mostrarla en este libro.
Si mostráramos aquí lo que hizo
Minina, nuestros lectores tendrí
pesadillas durante los próximo
cincuenta años.

Tu editor*,
Neal

Bueno, nada de eso importa ahora porque, Minina... ¡APESTAS Y TIENES QUE BAÑARTE!

Dile a Minina con firmeza que tiene que darse un baño ¡AHORA MISMO!

Bueno. Eso no funcionó.

Tal vez puedas intentar el sutil arte de la NEGOCIACIÓN*.

Negociar significa utilizar palabras en lugar de fuerza física para tratar de convencer a Minina de que haga algo que no quiere hacer.

75

Primero, intenta HALAGARLA.

¡MIREN A ESTA BELLEZA! ¡QUÉ GATITA TAN DULCE, LINDA Y MARAVILLOSA! ¿SERÁ QUE ESTA MININA TAN, TAN LINDA NO QUIERE VERSE LIMPIA Y BONITA Y OLER RICO COMO UNA HERMOSA FLOR? ¡QUÉ LINDA GATITA! ¿QUIÉN ES LA GATITA MÁS LINDA DEL MUNDO? ¡TÚ! ¡SÍ, ERES TÚ! ¡MI LINDA, LINDA, DULCE MININA, ERES TÚ!

Si eso no funciona, intenta...

ROGARLE.

¡POR FAVOR! ¡POR FAVOOOR!
¡POR FAVOR, MÉTETE
EN LA BAÑERA!
¡POR FAVOOOR!
SI TIENES UNA PIZCA DE
BONDAD, POR FAVOR MÉTETE
EN LA BAÑERA, ¿SÍ?
¡POR FAVOOOR!
ME HA COSTADO TANTO
TRAERTE HASTA ACÁ Y YA
CASI ESTAMOS EN LA BAÑERA.
¡ESTAMOS TAN CERCA!
¿PUEDES, POR FAVOR, METERTE
EN LA BAÑERA?
¡POR FAVOOOOOR!

SERÁS MI MEJOR AMIGA.

Si eso no funciona, intenta...

SOBORNARLA.

AY, MININA... ¿RECUERDAS ESE RASCADOR HECHO DE SEDA Y PIEL DE RINOCERONTE QUE TANTO TE GUSTA? PUES, TE LO COMPRO SI TE METES EN LA BAÑERA. Y A TI TE ENCANTAN ESOS BIZCOCHOS DE CABRA Y ALETAS DE SALMÓN, ¿NO? SI TE METES EN LA BAÑERA, TE COMPRO LA CAJA MÁS GRANDE QUE HAYA EN LA TIENDA. PERDÓN, ¿DIJE "CAJA"? ¡QUISE DECIR "BARRIL"! PERDÓN, ¿DIJE "BARRIL"? ¡QUISE DECIR "CAMIÓN"! Y PUEDES COMÉRTELOS MIENTRAS TE BAÑAS. ¿TRATO HECHO, MININA?

¿MININA?

Si eso no funciona, intenta...

ESTÁ BIEN... SI NO QUIERES BAÑARTE... ¡NO TE BAÑES! A MÍ QUÉ ME IMPORTA. OLERÁS HORRIBLE POR EL RESTO DE TU VIDA Y NADIE SE TE VA A ACERCAR, PERO ME DA LO MISMO. HAZ LO QUE QUIERAS, NO TE METAS EN LA BAÑERA. ESA ES LA ÚNICA MANERA DE QUE ESTÉS LIMPIA, Y NADIE QUIERE ESO. ES MÁS, ME ENCANTA QUE NO TE BAÑES. EN SERIO. ESPERO QUE NUNCA, NUNCA TE BAÑES... A MENOS QUE...

QUIERAS BAÑARTE...

¿QUIERES?

Bueno... parece que Minina no se va a bañar al final. Lo siento. De veras que lo intentamos.

Tal vez sea mejor terminar este libro ahora mismo y ahorrar papel.

Qué lastima, porque la única manera de bañar a Roco es si Minina se baña primero.

¿No lo sabías, Minina? Roco está más sucio y maloliente que tú. Va a necesitar un BAÑO ESPECIAL...

Con mucha
agua fría...

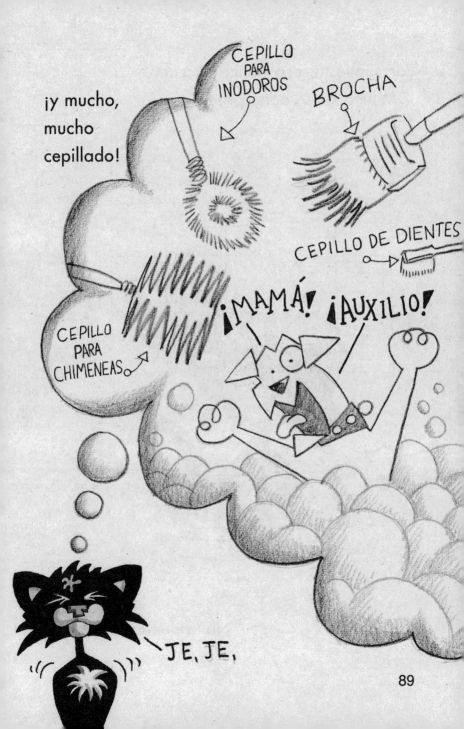

Por supuesto, eso nunca sucederá
si Minina no se baña primero.

No lo puedo creer...

• CAPÍTULO CINCO •

EL
BAÑO

Ahora que por fin tienes a Minina en la bañera, échale agua tibia poco a poco con una taza o vasija pequeña.

Trata de no echarle agua sobre la cabeza.
Utiliza una toalla suave y húmeda para limpiarle
la cara y la cabeza.

Para limpiarle bien el pelo, utiliza el champú de gatos que recomiende el veterinario de Minina.

Si tienes una ducha de mano, úsala para enjuagar a Minina. Si no, échale agua poco a poco, tal y como lo hiciste antes.

¡SISSS!

De nuevo, trata de no mojarle la cabeza a Minina, y utiliza una toallita para quitarle el jabón y el agua de la cara.

No dejes de enjuagar, mojar y frotar a Minina hasta que compruebes que ya no tiene ni un poquito de champú.

Habrás notado los ruidos que hizo Minina. Es probable que te esté tratando de decir algo. Aquí tienes una lista de lo que significan los sonidos más comunes que hacen los gatos.

MIAU ⟶ Tengo hambre.

¿MIII
AAA ⟶ Tengo mucha hambre.
UUU?

¡MIII
AAA
UUU ⟶ Tengo hambre de verdad, y más te vale que me des comida ahora mismo o me las pagarás.
UGR
RRR!

¡PST! ⟶ Quiero estar sola.

¡SISSS! ⟶ ¡Aléjate ya!

¡MIAUU RIAUR PST! ⟶ A menos de que no quieras vivir más, por favor entiende que estoy de muy mal humor.

¡MIAUU RIAUU YIAUU SISS PST PST PST MIAUU! ⟶

Nick:

Perdón, pero tampoco podemos publicar esto. Lo que dice Minina es tan horrible y desagradable que, si lo publicamos, nos podrían enviar a todos a la cárcel por el resto de nuestras vidas. Espero que entiendas.

Tu editor, Neal

Ya tienes a una Minina muy, muy limpia, aunque también es una Minina muy, muy mojada.

Sácala con cuidado y no olvides quitar el tapón de la bañera.

Para secar a Minina, enróllala en una toalla limpia y frótala por todas partes.

¡Minina quedará limpia y bella!

¡Qué Minina más limpia y perfumada!

DATOS DIVERTIDOS
DEL TÍO MURRAY

¿PUEDEN NADAR LOS GATOS?

YA VUELVO.
¡ME ESTOY
PREPARANDO UN
SÁNDWICH!

Aunque los gatos odian bañarse y no son muy amantes del agua, TODOS SABEN nadar. Es más, son muy buenos nadadores.

A los gatos de raza Van Turco les gusta tanto nadar que se meten en el agua a la menor oportunidad.

Los tigres también son excelentes nadadores. Viven en climas cálidos, de modo que suelen nadar para refrescarse.

Si alguna vez te persigue un tigre, no te metas en el agua. No servirá de nada. Mejor, súbete a un árbol. A los tigres les encanta nadar, pero no son buenos para subirse a los árboles.

Y si alguna vez visitas los humedales de Nepal y Birmania, busca al gato pescador, una raza de gato con garras largas que nunca se retraen y que se zambulle en el agua para pescar.

CREO QUE ESO ES TODO

• CAPÍTULO SEIS •

DESPUÉS
DEL
BAÑO

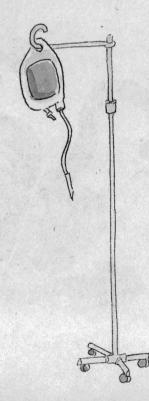

Después del baño, Minina seguramente se lamerá durante un buen rato. Querrá limpiarse como a ella le gusta: con la lengua.

Ese NO es un buen momento para acariciarla.

De hecho, Minina te ignorará durante algunas horas... o días... o semanas.

No lo tomes a pecho. Después de todo, obligaste a Minina a hacer algo que ella ODIA y no quería hacer por nada del mundo.

Pero tú hiciste lo que debías. Aunque Minina no te lo agradecerá. Es posible que no te lo agradezca NUNCA. Quizás, durante los próximos días, haga ciertas cosas para que sepas lo furiosa que está.

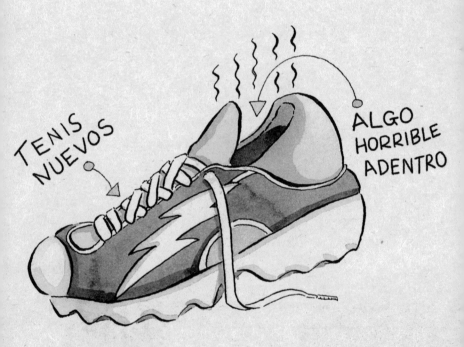

Pero si no hubieras bañado a Minina, ella se habría lamido a pesar de estar tan, tan sucia. Se habría podido enfermar gravemente. ¡Y ni tú ni Minina quieren que eso pase!

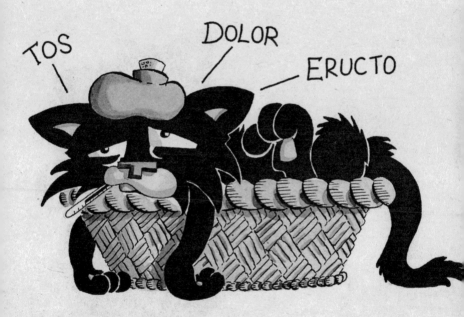

TOS

DOLOR

ERUCTO

No siempre te llevarás bien con Minina. Pero hay DOS cosas que ustedes tienen en común.

1) Tú y ella saben que algún día ella te perdonará.

2) Tú y ella esperan que NUNCA haya necesidad de bañarla otra vez.

• EPÍLOGO •

CÓMO BAÑAR A UN CACHORRITO

¡JA, JA, JA!

• GLOSARIO •

Baño • Una palabra que nunca debes pronunciar delante de Minina.

Cresta y Barbillas •
Lóbulos carnosos que las gallinas suelen tener en la cabeza y el cuello, pero que los gatos no tienen.

CRESTA

NO ES UN GATO

BARBILLAS

Editor • Alguien que supervisa *con genialidad* la publicación de un libro como este y que *merece casi todo el crédito por su realización.*

Esmeralda • El nombre de la gata de Nick Bruel.

Glosario • Una lista de palabras y su significado que suele encontrarse al final de un libro. Tienes cinco segundos para encontrar el Glosario de ESTE libro. ¡Uno, dos y tres!

Negociación • Un proceso que funciona bien cuando intentas convencer a tus padres de que te den más dinero por semana, pero que no funciona cuando intentas convencer a Minina de que necesita un baño.

Papilas • Los cientos de pequeñas púas que tiene Minina en la lengua que hacen que parezca papel de lija cuando te lame el dedo.

Plasma • La parte líquida de la sangre. Las células de la sangre flotan alrededor del plasma para transportar energía y oxígeno por el cuerpo. Sin plasma, estas células serían como peces que intentan nadar sin un río. Es bueno tener algo de plasma adicional cuando vas a bañar a Minina, en caso de que "pierdas" un poco.

Psicología inversa • Un método que se puede utilizar para hacer que alguien haga algo; solo hay que pretender que uno quiere lo opuesto. Pero nunca funciona, así que ni lo intentes.

Sofá • Un rascador suave, cómodo y muy caro para Minina.

Verduras • Otra palabra que es mejor no pronunciar delante de Minina.

Veterinario • El doctor de animales como Minina, y quizás la persona más valiente de todo el mundo.